Le tournesol et la graine

Camilla de la Bédoyère

Texte français de Claudine Azoulay

Les mots en caractères **gras** sont expliqués dans le glossaire de la page 22.

Catalogage avant publication de Bibliothèque et Archives Canada

De la Bédoyère, Camilla
Le tournesol et la graine / Camilla de la Bédoyère ;
texte français de Claudine Azoulay.

(Cycle de vie)
Traduction de: Seed to sunflower.
Pour les 5-9 ans.
ISBN 978-1-4431-0111-0

1. Tournesols--Cycles biologiques--Ouvrages pour la jeunesse.
I. Azoulay, Claudine II. Titre. III. Collection: Cycle de vie (Toronto, Ont.)

QK495.C74D34514 2010   j583'.99   C2009-904878-7

Édition publiée par les Éditions Scholastic,
604, rue King Ouest, Toronto (Ontario) M5V 1E1.

5 4 3 2 1   Imprimé en Chine CP141   10 11 12 13 14

Auteure : Camilla de la Bédoyère
Conceptrice graphique et recherchiste d'images : Melissa Alaverdy
Directrice artistique : Zeta Davies

Références photographiques
Légende : h = haut, b = bas, c = centre, g = gauche,
          d = droite, PC = page couverture

Dorling Kindersley 19h Peter Anderson

Ecoscene 13 Robert Pickett

Getty Images 5 Nigel Cattlin, 7h Nigel Cattlin, 9d Panoramic Images, 10c Nigel Cattlin,
11h Nigel Cattlin, 11b Nigel Cattlin, 12b Steve Satushek, 14d Sabina Ruber

Photolibrary Group 1b Index Stock Imagery, 7d Gerhard Schulz, 10g Les Cunliffe,
15 Rob Crandall, 20 Gay Bumgarner, 21 Keith Ringland, 23d Gerhard Schulz

Science Photo Library 8b TH Foto-Werbung, 9b Alan Sirulnikoff, 10h Steve Taylor

Shutterstock 1h Aga Rafi, 2d Eric Wong, 3h Gabrielle Ewart, 4g Amid, 6h Aga Rafi,
6-7 Pakhnyushcha, 8h Dabjola, 12h RTimages, 14g Sergiy Goruppa, 14c Stocknadia,
16g Brandon Blinkenberg, 16-17 Javarman, 18-19 Vladimir Mucibabic, 22-23 Yuliyan
Velchev, 24b Denise Kappa

Table des matières

Qu'est-ce qu'un tournesol?

Un tournesol est un type de plante. La plupart des plantes ont des **racines**, des **tiges** et des feuilles.

Les plantes poussent partout dans le monde, sauf dans les endroits les plus froids ou les plus secs.

◀ La plupart des tournesols ont des pétales jaune d'or.

Pétale

Fleur

Les tiges poussent en direction de la lumière. Elles sont pourvues de feuilles et de fleurs.

Les racines retiennent la plante dans la terre et absorbent l'eau.

Feuille

◀ Pour pousser, les plantes ont besoin d'air, de soleil et d'eau.

Tige

Racines

L'histoire d'un tournesol

Les tournesols poussent dans les jardins et les parcs. Les fermiers plantent aussi des tournesols dans les champs pour en vendre les graines.

Une graine n'est pas plus grosse que ton ongle, et pourtant elle peut devenir un immense tournesol.

La période durant laquelle une graine devient une plante s'appelle le **cycle de vie**.

1

Graine

▲ Le cycle de vie d'un tournesol comporte trois stades.

2

Pousse

Fleur

3

À l'intérieur d'une graine

Une graine est à l'origine d'une nouvelle plante. Elle renferme aussi de la nourriture pour la plante, quand celle-ci commencera à pousser.

Une graine de tournesol possède une enveloppe dure et noire ou noire à rayures beiges.

▲ Les graines poussent au milieu de la fleur.

◀ Si on ouvre une graine de tournesol, on peut voir la réserve de nourriture à l'intérieur.

Ce séquoia géant est le plus gros arbre au monde. Il mesure 115 mètres de haut, mais ses graines sont minuscules. Chaque graine ne mesure que quelques millimètres!

▼ **Un séquoia produit des cônes. Chaque cône renferme une grande quantité de graines.**

La première pousse

Quand une graine de tournesol est plantée dans la terre puis arrosée, elle a des chances de pousser. C'est ce qu'on appelle la **germination**.

L'enveloppe extérieure de la graine ramollit et s'ouvre. Une toute petite racine sort de la graine et s'enfonce dans la terre.

3

▲ La pousse grandit.

2

◀ Une pousse sort de la terre.

1

◀ Les graines sont plantées.

4

Quelques jours plus tard, une pousse apparaît. Le jeune plant s'appelle un **semis**.

▲ L'enveloppe extérieure de la graine tombe.

5

▶ Deux petites feuilles s'ouvrent.

Germer et grandir

Une fois que le semis a des feuilles, il produit lui-même sa nourriture en utilisant la lumière du soleil, l'air et l'eau.

Les feuilles vertes se tournent vers le soleil. Elles emmagasinent autant de lumière que possible. Chaque feuille possède de minuscules trous, pour faire pénétrer l'air.

▶ **Toutes les plantes ont besoin d'eau pour produire elles-mêmes leur nourriture et pour grandir.**

Les racines du semis absorbent l'eau présente dans la terre.

Le semis grandit de jour en jour. À mesure qu'il grandit, de nouvelles feuilles apparaissent.

▶ **C'est durant les premières semaines qu'un tournesol grandit le plus vite.**

La fleur s'ouvre

En été, un bouton floral vert se forme. Le bouton s'ouvre et devient un gros tournesol jaune.

La fleur a un centre plat. Le centre porte les parties mâles et femelles de la fleur. Celles-ci sont indispensables pour produire d'autres graines.

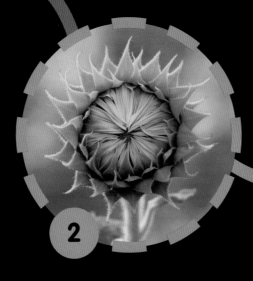

▲ Les feuilles vertes s'ouvrent en premier, suivies des pétales.

14

Étamine

Carpelle

Les parties mâles s'appellent les **étamines.**

Les parties femelles s'appellent les **carpelles.**

4

▲ **Des pétales jaunes entourent le centre plat de la fleur.**

Papillons et abeilles

Abeilles, papillons et autres **insectes** sont attirés par les fleurs. Ils voient les pétales aux couleurs vives et sentent le **nectar** sucré.

▼ Le nectar est rempli de sucre. Celui-ci sert de nourriture aux papillons.

Les étamines sont recouvertes d'une poudre jaune appelée **pollen.** Pendant que les insectes butinent le nectar, ils se couvrent de pollen.

Les insectes transportent le pollen issu d'une plante vers les carpelles d'une autre plante.

▼ **Le pollen se colle aux poils raides des pattes de l'abeille.**

Pollen

De nouvelles graines poussent

Des grains de pollen tombent dans les carpelles de la fleur et s'unissent aux œufs. C'est ce qu'on appelle la **fécondation**.

Quand les œufs ont été fécondés, ils deviennent de nouvelles graines. Le reste de la fleur n'ayant plus d'utilité, ses pétales tombent.

▶ **Chaque tête de tournesol porte des centaines de graines.**

À la fin de l'été, la plante a l'air vieille et fatiguée, mais elle vit encore. Elle produit plein de bonnes graines qui grossissent et deviennent noires.

▶ **Les graines sont récoltées et utilisées dans la fabrication d'aliments pour les humains et les animaux domestiques.**

Graine

La dispersion des graines

Les graines sont **mûres** et regorgent de nourriture. Elles tombent sur le sol ou sont mangées par les oiseaux.

Les écureuils et les souris mangent aussi des graines de tournesol. Ils grimpent le long des tiges pour les atteindre ou bien ils les ramassent sur le sol. Ils peuvent aussi les laisser tomber ou les enterrer.

◀ **Les oiseaux ouvrent les graines avec leur bec.**

▲ Les écureuils cachent les graines dans le sol. Ils reviendront peut-être les manger plus tard.

Quand le printemps arrive, les graines se trouvant dans de la terre fertile commencent à germer. Elles deviendront de nouvelles plantes et le cycle de vie recommencera.

Glossaire

Carpelle

Partie femelle d'une fleur. Chaque carpelle renferme un œuf.

Cycle de vie

Période durant laquelle un être vivant se transforme de la naissance à la mort et produit des petits, ou bien période durant laquelle des graines deviennent de nouvelles plantes.

Étamine

Partie mâle de la fleur. Chaque étamine renferme du pollen.

Fécondation

Quand un grain de pollen s'unit à un œuf dans le carpelle.

Germination

Quand une graine commence à pousser.

Insecte

Petit animal pourvu de six pattes. Les papillons et les abeilles sont des insectes.

Mûre

Quand une graine a fini de se former et qu'elle est prête à tomber de la plante.

Nectar

Liquide sucré produit par les fleurs pour attirer les insectes.

Pollen

Poudre jaune produite par les parties mâles d'une fleur.

Racine

Partie d'une plante qui pousse dans la terre. La racine absorbe l'eau et retient la plante dans le sol.

Semis

Jeune plant qui commence à pousser à partir d'une graine.

Tige

Partie d'une plante. Les feuilles et les fleurs poussent sur la tige.

Index

Notes aux parents et aux enseignants

Feuilletez le livre et parlez des illustrations. Lisez les légendes et posez des questions sur les éléments qui apparaissent sur les photos, mais qui n'ont pas été mentionnés dans le texte.

Observez la nature. Montrez aux enfants comment identifier les diverses plantes qui poussent dans le jardin, dans un parc ou à la campagne. Observez des fleurs différentes et trouvez les parties mentionnées dans ce livre, telles que tiges, feuilles, fleurs et graines.

Activités liées aux graines. Il est facile de faire pousser des tournesols au printemps et en été. Placez une graine dans un pot de compost, arrosez, puis placez le pot dans un endroit ensoleillé. Quand le semis pousse, remarquez la manière dont il s'incline vers la lumière. En transplantant le tournesol dans le jardin, vous pourrez observer les racines de la plante.

La science à la maison. Faites des recherches pour savoir combien de temps une graine met pour germer et pousser à sa pleine hauteur. Notez la croissance hebdomadaire de la plante : mesurez sa hauteur et comptez le nombre de feuilles. Évaluez combien de graines ont poussé sur une tête de fleur. Illustrez le cycle de vie d'un tournesol à l'aide de dessins de graines, de semis et de plantes complètement développées.

Préparez-vous à répondre à des questions sur le cycle de vie humain. Beaucoup de livres sur ce sujet offrent des explications conçues pour les jeunes enfants.

Aidez l'enfant à comprendre le cycle de vie en lui parlant de sa famille. Dessiner des arbres généalogiques simples, regarder des albums de photos de famille et partager des histoires familiales avec les grands-parents sont des moyens amusants de susciter l'intérêt des jeunes enfants.